CB066398

MÁRIO DE ANDRADE
PAULICEIA DESVAIRADA

‹ns
São Paulo, 2017

Pauliceia desvairada
Copyright © 2017 by Novo Século Editora Ltda.

PRODUÇÃO EDITORIAL
SSegovia Editorial

PREPARAÇÃO
Elise Garcia

REVISÃO
Andrea Bassoto

ILUSTRAÇÃO DE MIOLO
Odiléa Setti Toscano

CAPA E PROJETO GRÁFICO
Lumiar Design

EDITORIAL
Bruna Casaroti • Jacob Paes • João Paulo Putini
Nair Ferraz • Renata de Mello do Vale • Vitor Donofrio

Texto de acordo com as normas do Novo Acordo Ortográfico da Língua Portuguesa (1990), em vigor desde 1º de janeiro de 2009.

Dados Internacionais de Catalogação na Publicação (CIP) Angélica Ilacqua CRB-8/7057

Andrade, Mário de, 1893-1945
  Pauliceia desvairada / Mário de Andrade. --
Barueri, SP : Novo Século Editora, 2017.

1. Literatura brasileira I. Título

16-1574   CDD 869

Índice para catálogo sistemático:
1. Literatura brasileira 813

‹ns
uma marca do
Grupo Novo Século

Alameda Araguaia, 2190 — Bloco A — 11º andar — Conjunto 1111
cep 06455-000 — Alphaville Industrial, Barueri-sp — Brasil
Tel.: (11) 3699-7107
www.gruponovoseculo.com.br | atendimento@gruponovoseculo.com.br

A MÁRIO DE ANDRADE

Mestre querido.

Nas muitas horas breves que me fizestes ganhar a vosso lado dizíeis da vossa confiança pela arte livre e sincera... Não de mim, mas de vossa experiência recebi a coragem da minha Verdade e o orgulho do meu Ideal.
Permiti-me que ora vos oferte este livro que de vós me veio. Prouvera Deus! nunca vos perturbe a dúvida feroz de Adriano Sixte...
Mas não sei, Mestre, se me perdoareis a distância mediada entre estes poemas e vossas altíssimas lições... Recebei no vosso perdão o esforço do escolhido por vós para único discípulo; daquele que neste momento de martírio muito a medo inda vos chama o seu Guia, o seu Mestre, o seu Senhor.

Mário de Andrade
14 de dezembro de 1921
S. PAULO

NOTA DO EDITOR

Texto original adaptado ao Novo Acordo Ortográfico.

PREFÁCIO INTERESSANTÍSSIMO

Dans mon pays de fiel et d'or j'en suis la loi.
E. VERHAEREN

Leitor:
Está fundado o Desvairismo.

Este prefácio, apesar de interessante, inútil.

Alguns dados. Nem todos. Sem conclusões. Para quem me aceita são inúteis ambos. Os curiosos terão prazer em descobrir minhas conclusões, confrontando obra e dados. Para quem me rejeita trabalho perdido explicar o que, antes de ler, já não aceitou.

Quando sinto a impulsão lírica escrevo sem pensar tudo o que meu inconsciente me grita. Penso depois: não só para corrigir, como para justificar o que escrevi. Daí a razão deste "Prefácio Interessantíssimo".

Aliás muito difícil nesta prosa saber onde termina a blague, onde principia a seriedade. Nem eu sei.

E desculpe-me por estar tão atrasado dos movimentos artísticos atuais. Sou passadista, confesso. Ninguém pode se libertar duma só vez das teorias-avós que bebeu; e o autor deste livro seria hipócrita si pretendesse representar orientação moderna que ainda não compreende bem.

Livro evidentemente impressionista. Ora, segundo modernos, erro grave o Impressionismo. Os arquitetos fogem do gótico como da arte nova, filiando-se, para além dos tempos históricos, nos volumes elementares: cubo, esfera, etc. Os pintores desdenham Delacroix como Whistler, para se apoiarem na calma construtiva de Rafael, de Ingres, do Greco. Na escultura Rodin é ruim, os imaginários africanos são bons. Os músicos desprezam Debussy, genuflexos diante da polifonia catedralesca de Palestrina e João Sebastião Bach. A poesia... "tende a despojar o homem de todos os seus aspectos contingentes e efêmeros, para apanhar nele a humanidade"... Sou passadista, confesso.

"Este Alcorão nada mais é que uma embrulhada de sonhos confusos e incoerentes. Não é inspiração provinda de Deus, mas criada pelo autor. Maomé não é profeta, é um homem que faz versos. Que se apresente com algum sinal revelador do seu destino, como os antigos profetas". Talvez digam de mim o que disseram do criador de Alá. Diferença cabal entre nós dois: Maomé apresentava-se como profeta; julguei mais conveniente apresentar-me como louco.

Você já leu São João Evangelista? Walt Whitman? Mailarmé? Verhaeren?

Perto de dez anos metrifiquei, rimei. Exemplo?

ARTISTA

O meu desejo é ser pintor — Lionardo,
cujo ideal em piedades se acrisola;
fazendo abrir-se ao mundo a ampla corola
do sonho ilustre que em meu peito guardo...

Meu anseio é, trazendo ao fundo pardo
da vida, a cor da veneziana escola,
dar tons de rosa e de ouro, por esmola,
a quanto houver de penedia ou cardo.

Quando encontrar o manancial das tintas
e os pincéis exaltados com que pintas,
Veronese! teus quadros e teus frisos,

irei morar onde as Desgraças moram;
e viverei de colorir sorrisos
nos lábios dos que imprecam ou que choram!

Os Srs. Laurindo de Brito, Martins Fontes, Paulo Setúbal, embora não tenham evidentemente a envergadura de Vicente de Carvalho ou de Francisca Júlia, publicam seus versos. E fazem muito bem. Podia, como eles, publicar meus versos metrificados.

Não sou futurista (de Marinetti). Disse e repito-o. Tenho pontos de contato com o futurismo. Oswald de Andrade, chamando-me de futurista, errou. A culpa é minha. Sabia da existência do artigo e deixei que saísse. Tal foi o escândalo, que desejei a morte do mundo. Era vaidoso. Quis sair da obscuridade. Hoje tenho orgulho. Não me pesaria reentrar na obscuridade. Pensei que se discutiriam minhas ideias (que nem são minhas): discutiram minhas intenções. Já agora não me calo. Tanto ridicularizariam meu silêncio como esta grita. Andarei a vida de braços no ar, como o *Indiferente* de Watteau.

"Alguns leitores ao lerem estas frases (poesia citada) não compreenderam logo. Creio mesmo que é impossível compreender inteiramente à primeira leitura pensamentos assim esquematizados sem uma certa prática. Nem é nisso que um poeta pode queixar-se dos seus leitores. No que estes se tornam condenáveis é em não pensar que um autor que assina não escreve asnidades pelo simples prazer de experimentar tinta; e que, sob essa extravagância aparente havia um sentido porventura interessantíssimo, que havia qualquer coisa por compreender". João Epstein.

Há neste mundo um senhor chamado Zdislas Milner. Entretanto escreveu isto: "O fato duma obra se afastar de preceitos e regras aprendidas, não dá a medida do seu valor". Perdoe-me dar algum valor a meu livro. Não há pai que, sendo pai, abandone o filho corcunda que se afoga; para salvar o lindo herdeiro do vizinho. A ama de leite do conto foi uma grandíssima cabotina desnaturada.

Todo escritor acredita na valia do que escreve. Si mostra é por vaidade. Si não mostra é por vaidade também.

Não fujo do ridículo. Tenho companheiros·ilustres.

O ridículo é muitas vezes subjetivo. Independe do maior ou menor alvo de quem o sofre. Criamô-lo para vestir com ele quem fere nosso orgulho, ignorância, esterilidade.

Um pouco de teoria? Acredito que o lirismo, nascido no subconsciente, acrisolado num pensamento claro ou confuso, cria frases que são versos inteiros, sem prejuízo de medir tantas sílabas, com acentuação determinada. Entroncamento é sueto para os condenados da prisão alexandrina. Há porém raro exemplo dele neste livro. Uso de cachimbo...

A inspiração é fugaz, violenta. Qualquer impecilho a perturba e mesmo emudece. Arte, que, somada a Lirismo, dá Poesia, não consiste em prejudicar a doida carreira do estado lírico para avisá-lo das pedras e cercas de arame do caminho. Deixe que tropece, caia e se fira. Arte é mondar mais tarde o poema de repetições fastientas, de sentimentalidades românticas, de pormenores inúteis ou inexpressivos.

Que Arte não seja porém limpar versos de exageros coloridos. Exagero: símbolo sempre novo da vida como do sonho. Por ele vida e sonho se irmanam. E, consciente, não é defeito, mas meio legítimo de expressão.

"O vento senta no ombro das tuas velas!". Shakespeare. Homero já escrevera que a terra mugia debaixo dos pés de homens a cavalos. Mas você deve saber que há milhões de exageros na obra dos mestres.

Taine disse que o ideal dum artista consiste em "apresentar, mais que os próprios objetos, completa e claramente qualquer característica essencial e saliente deles, por meio de alterações sistemáticas das relações naturais entre as suas partes, de modo a tornar essa característica mais visível e dominadora". O Sr. Luís Carlos, porém, reconheço que tem o direito de citar o mesmo em defesa das suas "Colunas".

Já raciocinou sobre o chamado "belo horrível"? É pena. O belo horrível é uma escapatória criada pela dimensão da orelha de certos filósofos para justificar a atração exercida, em todos os tempos, pelo feio sobre os artistas. Não me venham dizer que o artista, reproduzindo o feio, o horrível, faz obra bela. Chamar de belo o que é feio, horrível, só porque está expressado com grandeza, comoção, arte, é desvirtuar ou desconhecer o conceito da beleza. Mas feio – pecado... Atrai. Anita Malfatti falava-me outro dia no encanto sempre novo do feio. Ora Anita Malfatti ainda não leu Emílio Bayard: "O fim lógico dum quadro é ser agradável de ver. Todavia comprazem-se os artistas em exprimir o singular encanto da feiura. O artista sublima tudo".

Belo da arte: arbitrário, convencional, transitório — questão de moda. Belo da natureza: imutável, objetivo, natural — tem a eternidade que a natureza tiver. Arte não consegue reproduzir natureza, nem este é seu Fim. Todos os grandes artistas, ora consciente (Rafael das *Madonas*, Rodin do *Balzac*, Beethoven da *Pastoral*, Machado de Assis do *Brás Cubas*), ora inconscientemente (a grande maioria) foram deformadores da natureza. Donde infiro que o belo artístico será tanto mais artístico, tanto mais subjetivo quanto mais se afastar do belo natural. Outros infiram o que quiserem. Pouco me importa.

Nossos sentidos são frágeis. A percepção das coisas exteriores é fraca, prejudicada por mil véus, provenientes das nossas taras físicas e morais: doenças, preconceitos, indisposições, antipatias, ignorâncias, hereditariedade, circunstâncias de tempo, de lugar, etc... Só idealmente podemos conceber os objetos como os atos na sua inteireza bela ou feia. A arte que, mesmo tirando os seus temas do mundo objetivo, desenvolve-se em comparações afastadas, exageradas, sem exatidão aparente, ou indica os objetos, como um universal, sem delimitação qualificativa nenhuma, tem o poder de nos conduzir a essa idealização livre, musical. Esta idealização livre, subjetiva, permite criar todo um ambiente de realidades ideais onde sentimentos, seres e coisas, belezas e defeitos se apresentam na sua plenitude heroica, que ultrapassa a defeituosa percepção dos sentidos. Não sei que futurismo pode existir em quem quase perfilha a concepção estética de Fichte. Fujamos da natureza! Só assim a arte não se ressentirá da ridícula fraqueza da fotografia... colorida.

Não acho mais graça nenhuma nisso da gente submeter comoções a um leito de Procusto para que obtenham, em ritmo convencional, número convencional de sílabas. Já, primeiro livro, usei indiferentemente, sem obrigação de retorno periódico, os diversos metros pares. Agora liberto-me também desse preconceito. Adquiro outros. Razão para que me insultem?

Mas não desdenho baloiços dançarinos de redondilhas e decassílabos. Acontece a comoção caber neles. Entram pois às vezes no cabaré rítmico dos meus versos. Nesta questão de metros não sou aliado; sou como a Argentina: enriqueço-me.

Sobre a ordem? — Repugna-me, com efeito, o que Musset chamou: "L'art de servir à point un dénoument bien cuit".

Existe a ordem dos colegiais infantes que saem das escolas de mãos dadas, dois a dois. Existe uma ordem nos estudantes das escolas superiores que descem uma escada de quatro em quatro degraus, chocando-se lindamente. Existe uma ordem, inda mais alta, na fúria desencadeada dos elementos.

Quem leciona História do Brasil obedecerá a uma ordem que, certo, não consiste em estudar a guerra do Paraguai antes do ilustre acaso de Pedro Álvares. Quem canta seu subconsciente seguirá a ordem imprevista das comoções, das associações de imagens, dos contatos exteriores. Acontece que o tema às vezes descaminha.

O impulso clama dentro de nós como turba enfurecida. Seria engraçadíssimo que a esta se dissesse: "Alto lá! Cada qual berre por sua vez; e quem tiver o argumento mais forte, guarde-o para o fim!". A turba é confusão aparente. Quem souber afastar-se idealmente dela, verá o imponente desenvolver-se dessa alma coletiva, falando a retórica exata das reivindicações.

Minhas reivindicações? Liberdade. Uso dela; não abuso. Sei embridá-la nas minhas verdades filosóficas e religiosas; porque verdades filosóficas, religiosas, não são convencionais como a Arte, são verdades. Tanto não abuso! Não pretendo obrigar ninguém a seguir-me. Costumo andar sozinho.

Virgílio, Homero, não usaram rima. Virgílio, Homero, têm assonâncias admiráveis.

A língua brasileira é das mais ricas e sonoras. E possui o admirabilíssimo "ão".

Marinetti foi grande quando redescobriu o poder sugestivo, associativo, simbólico, universal, musical da palavra em liberdade. Aliás: velha como Adão. Marinetti errou: fez dela sistema. É apenas auxiliar poderosíssimo. Uso palavras em liberdade. Sinto que o meu copo é grande demais para mim, e inda bebo no copo dos outros.

Sei construir teorias engenhosas. Quer ver? A poética está muito mais atrasada que a música. Esta abandonou, talvez mesmo antes do século 8, o regime da melodia quando muito oitavada, para enriquecer-se com os infinitos recursos da harmonia. A poética, com rara exceção até meados do século 19 francês, foi essencialmente melódica. Chamo de verso melódico o mesmo que melodia musical: arabesco horizontal de vozes (sons) consecutivas, contendo pensamento inteligível. Ora, si em vez de unicamente usar versos melódicos horizontais: "Mnezarete, a divina, a pálida Phrynea comparece ante a austera e rígida assembleia do Areópago supremo..." fizermos que se sigam palavras sem ligação imediata entre si: estas palavras, pelo fato mesmo de se não seguirem intelectual, gramaticalmente, se sobrepõem umas às outras, para a nossa sensação, formando, não mais melodias, mas harmonias. Explico melhor: Harmonia: combinação de sons simultâneos. Exemplo: "Arroubos... Lutas... Seta... Cantigas... Povoar!...". Estas palavras não se ligam. Não formam enumeração. Cada uma é frase, período elíptico, reduzido ao mínimo telegráfico. Si pronuncio "Arroubos", como não faz parte de frase (melodia), a palavra chama a atenção para seu insulamento e fica vibrando, à espera duma frase que lhe faça adquirir significado e QUE NÃO VEM. "Lutas" não dá conclusão alguma a "Arroubos"; e, nas mesmas condições, não fazendo esquecer a primeira palavra, fica vibrando com ela. As outras vozes fazem o mesmo. Assim: em vez de melodia (frase gramatical) temos acorde arpejado, harmonia, — o verso harmônico. Mas, si em vez de usar só palavras soltas, uso frases soltas: mesma sensação de superposição, não já de palavras (notas), mas de frases (melodias). Portanto: polifonia poética. Assim, em *Pauliceia desvairada* usam-se o verso melódico: "São Paulo é um palco de bailados russos"; o verso harmônico: "A cainçalha... A Bolsa... As jogatinas..."; e polifonia poética (um e às vezes dois e mesmo mais versos consecutivos):

"A engrenagem trepida... A bruna neva..." Que tal? Não se esqueça porém que outro virá destruir tudo isto que construí. Para ajuntar à teoria:

Os gênios poéticos do passado conseguiram dar maior interesse ao verso melódico, não só criando-o mais belo, como fazendo-o mais variado, mais comotivo, mais imprevisto. Alguns mesmo conseguiram formar harmonias, por vezes ricas. Harmonias porém inconscientes, esporádicas. Provo inconsciência: Victor Hugo, muita vez harmônico, exclamou depois de ouvir o quarteto do *Rigoletto*: "Façam que possa combinar simultaneamente várias frases e verão de que sou capaz". Encontro anedota em Galli, *Estética Musical*. Se non é vero...

Há certas figuras de retórica em que podemos ver embrião da harmonia oral, como na lição das sinfonias de Pitágoras encontramos germe da harmonia musical. Antítese — genuína dissonância. E si tão apreciada é justo porque poetas como músicos, sempre sentiram o grande encanto da dissonância, de que fala G. Migot.

Comentário à frase de Hugo. Harmonia oral não se realiza, como a musical, nos sentidos, porque palavras não se fundem como sons, antes baralham-se, tornam-se incompreensíveis. A realização da harmonia poética efetua-se na inteligência. A compreensão das artes do tempo nunca é imediata, mas mediata. Na arte do tempo coordenamos atos de memória consecutivos, que assimilamos num todo final. Este todo, resultante de estados de consciência sucessivos, dá a compreensão final, completa da música, poesia, dança terminada. Victor Hugo errou querendo realizar objetivamente o que se realiza subjetivamente, dentro de nós.

Os psicólogos não admitirão a teoria. É responder-lhes com o "Só-quem-ama" de Bilac. Ou com os versos de Heine de que Bilac tirou o "Só-quem-ama". Entretanto: si você já teve por acaso na vida um acontecimento forte, imprevisto (já teve, naturalmente) recorde-se do tumulto desordenado das muitas ideias que nesse momento lhe tumultuaram no cérebro. Essas ideias, reduzidas ao mínimo telegráfico da palavra, não se continuavam, porque não faziam parte de frase alguma, não tinham resposta, solução, continuidade. Vibravam, ressoavam, amontovam-se, sobrepunham-se. Sem ligação, sem concordância aparente — embora nascidas do mesmo acontecimento — formavam, pela sucessão rapidíssima, verdadeiras simultaneidades, verdadeiras harmonias acompanhando a melodia enérgica e larga do acontecimento.

Bilac, *Tarde*, é muitas vezes tentativa de harmonia poética. Daí, em parte ao menos, o estilo novo do livro. Descobriu, para a língua brasileira, a harmonia poética, antes dele empregada raramente (Gonçalves Dias, genialmente, na cena de luta, "I-Juca-Pirama"). O defeito de Bilac foi não metodizar o invento; tirar dele todas as consequências. Explica-se historicamente seu defeito: *Tarde* é um apogeu. As decadências não vêm depois dos apogeus. O apogeu já é a decadência, porque sendo estagnação não pode conter em si um progresso, uma evolução ascensional. Bilac representa uma fase destrutiva da poesia; porque toda perfeição em arte significa destruição. Imagino o seu susto, leitor, lendo isto. Não tenho tempo para explicar: estude si quiser. O nosso primitivismo representa uma nova fase construtiva. A nós compete esquematizar, metodizar as lições do passado.

Volto ao poeta. Ele fez como os criadores do Organum medieval: aceitou harmonias de quartas e de quintas desprezando terceiras, sextas, todos os demais intervalos. O número das suas harmonias é muito restrito. Assim, "... o ar e o chão, a fauna e a flora, a erva e o pássaro, a pedra e o tronco, os ninhos e a hera, a água e o réptil, a folha e o inseto, a flor e a fera", dá impressão duma longa, monótona série de quintas medievais, fastidiosa, excessiva, inútil, incapaz de sugestionar o ouvinte e dar-lhe a sensação do crepúsculo na mata.

Lirismo: estado efetivo sublime — vizinho da sublime loucura. Preocupação de métrica e de rima prejudica a naturalidade livre do lirismo objetivado. Por isso poetas sinceros confessam nunca ter escrito seus milhores versos. Rostand por exemplo: e, entre nós, mais ou menos, o sr. Amadeu Amaral. Tenho a felicidade de escrever meus milhores versos. Milhor do que isso não posso fazer.

Ribot disse algures que inspiração é telegrama cifrado transmitido pela atividade inconsciente à atividade consciente que o traduz. Essa atividade consciente pode ser repartida entre poeta e leitor. Assim, aquele que não escorcha e esmiúça friamente o momento lírico; e bondosamente concede ao leitor a glória de colaborar nos poemas.

"A linguagem admite a forma dubitativa que o mármore não admite". Renan.

"Entre o artista plástico e o músico está o poeta, que se avizinha do artista plástico com a sua produção consciente, enquanto atinge as possibilidades do músico no fundo obscuro do inconsciente". De Wagner.

Você está reparando de que maneira costumo andar sozinho...

Dom Lirismo, ao desembarcar do Eldorado do Inconsciente no cais da terra do Consciente, é inspecionado pela visita médica, a Inteligência, que o alimpa dos macaquinhos e de toda e qualquer doença que possa espalhar confusão, obscuridade na terrinha progressista. Dom Lirismo sofre mais uma visita alfandegária, descoberta por Freud, que a denominou Censura. Sou contrabandista! E contrário à lei da vacina obrigatória.

Parece que sou todo instinto... Não é verdade. Há no meu livro, e não me desagrada, tendência pronunciadamente intelectualista. Que quer você? Consigo passar minhas sedas sem pagar direitos. Mas é psicologicamente impossível livrar-me das injeções e dos tônicos.

A gramática apareceu depois de organizadas as línguas. Acontece que meu inconsciente não sabe da existência de gramáticas, nem de línguas organizadas. E como Dom Lirismo é contrabandista...

Você perceberá com facilidade que si na minha poesia a gramática às vezes é desprezada, graves insultos não sofre neste prefácio interessantíssimo. Prefácio: rojão do meu eu superior. Versos: paisagem do meu eu profundo.

Pronomes? Escrevo brasileiro. Si uso ortografia portuguesa é porque, não alterando o resultado, dá-me uma ortografia.

Escrever arte moderna não significa jamais para mim representar a vida atual no que tem de exterior: automóveis, cinema, asfalto. Si estas palavras frequentam-me o livro não é porque pense com elas escrever moderno, mas porque sendo meu livro moderno, elas têm nele sua razão de ser.

Sei mais que pode ser moderno artista que se inspire na Grécia de Orfeu ou na Lusitânia de Nun'Álvares. Reconheço mais a existência de temas eternos, passíveis de afeiçoar pela modernidade: universo, pátria, amor e a presença-dos-ausentes, ex-gozo-amargo-de-infelizes.

Não quis também tentar primitivismo vesgo e insincero. Somos na realidade os primitivos duma era nova. Esteticamente: fui buscar entre as hipóteses feitas por psicólogos, naturalistas e críticos sobre os primitivos das eras passadas, expressão mais humana e livre de arte.

O passado é lição para se meditar, não para reproduzir. "E tu che sé costí, anima viva, Partiti da cotesti che son morti".

Por muitos anos procurei-me a mim mesmo. Achei. Agora não me digam que ando à procura de originalidade, porque já descobri onde ela estava, pertence-me, é minha.

Quando uma das poesias deste livro foi publicada, muita gente me disse: "Não entendi". Pessoas houve porém que confessaram: "Entendi, mas não senti". Os meus amigos... percebi mais duma vez que sentiam, mas não entendiam. Evidentemente meu livro é bom.

Escritor de nome disse dos meus amigos e de mim que ou éramos gênios ou bestas. Acho que tem razão. Sentimos, tanto eu como meus amigos, o anseio do farol. Si fôssemos tão carneiros a ponto de termos escola coletiva, esta seria por certo o "Farolismo". Nosso desejo: alumiar. A extrema-esquerda em que nos colocamos não permite meio-termo. Si gênios: indicaremos o caminho a seguir; bestas: naufrágios por evitar.

Canto da minha maneira. Que me importa si me não entendem? Não tenho forças bastantes para me universalizar? Paciência. Com o vário alaúde que construí, me parto por essa selva selvagem da cidade. Como o homem primitivo cantarei a princípio só. Mas canto é agente simpático: faz renascer na alma dum outro predisposto ou apenas sinceramente curioso e livre, o mesmo estado lírico provocado em nós por alegrias, sofrimentos, ideais. Sempre hei-de achar também algum, alguma que se embalarão à cadência libertária dos meus versos. Nesse momento: novo Anfião moreno e caixa-d'óculos, farei que as próprias pedras se reúnam em muralhas à magia do meu cantar. E dentro dessas muralhas esconderemos nossa tribo.

Minha mão escreveu a respeito deste livro que "não tinha e não tem nenhuma intenção de o publicar". *Jornal do Comércio*, 6 de junho. Leia frase de Gourmont sobre contradição: 1º volume das *Promenades littéraires*. Rui Barbosa tem sobre ela página lindíssima, não me recordo onde. Há umas palavras também em João Cocteau, *La noce massacrée*.

Mas todo este prefácio, com todo o disparate das teorias que contém, não vale coisíssima nenhuma. Quando escrevi *Pauliceia desvairada* não pensei em nada disto. Garanto porém que chorei, que cantei, que ri, que berrei... Eu vivo!

Aliás versos não se escrevem para leitura de olhos mudos. Versos cantam-se, urram-se, choram-se. Quem não souber cantar não leia "Paisagem nº 1". Quem não souber urrar não leia "Ode ao Burguês". Quem não souber rezar, não leia "Religião". Desprezar: "A Escalada". Sofrer: "Colloque Sentimental". Perdoar: a cantiga do berço, um dos solos de Minha Loucura, das Enfibraturas do Ipiranga. Não continuo. Repugna-me dar a chave de meu livro. Quem for como eu tem essa chave.

E está acabada a escola poética. "Desvairismo".

Próximo livro fundarei outra.

E não quero discípulos. Em arte: escola = imbecilidade de muitos para vaidade dum só.

Poderia ter citado Gorch Fock. Evitava o "Prefácio Interessantíssimo". "Toda canção de liberdade vem do cárcere".

INSPIRAÇÃO

*Onde até na força do verão havia
tempestades de ventos e frios de crudelíssimos inverno.*
FR. LUIS DE SOUSA

São Paulo! comoção de minha vida...
Os meus amores são flores feitas de original!...
Arlequinal!... Trajes de losangos... Cinza e ouro...
Luz e bruma... Forno e inverno morno...
Elegâncias sutis sem escândalos, sem ciúmes...
Perfumes de Paris... Arys!
Bofetadas líricas no Trianon... Algodoal!...

São Paulo! comoção de minha vida...
Galicismo a berrar nos desertos da América.

O TROVADOR

Sentimentos em mim do asperamente
dos homens das primeiras eras...
As primaveras de sarcasmo
intermitentemente no meu coração arlequinal...
Intermitentemente...
Outras vezes é um doente, um frio
na minha alma doente como um longo som redondo...
Cantabona! Cantabona!
Dlorom...

Sou um tupi tangendo um alaúde!

OS CORTEJOS

Monotonias das minhas retinas...
Serpentinas de entes frementes a se desenrolar...
Todos os sempres das minhas visões! "Bon giorno, caro".

Horríveis as cidades!
Vaidades e mais vaidades...
Nada de asas! Nada de poesia! Nada de alegria!
Oh! os tumultuários das ausências!

Pauliceia — a grande boca de mil dentes;
e os jorros dentre a língua trissulca
de pus e de mais pus de distinção...
Giram homens fracos, baixos, magros...
Serpentinas de entes frementes a se desenrolar...

Estes homens de São Paulo,
todos iguais e desiguais,
quando vivem dentro dos meus olhos tão ricos,
parecem-me uns macacos, uns macacos.

A ESCALADA

(Maçonariamente.)
— Alcantilações!... Ladeiras sem conto!...
Estas cruzes, estas crucificações da honra!...
— Não há ponto final no morro das ambições.
As bebedeiras do vinho dos aplaudires...
Champanhações... Cospe os fardos!

(São Paulo é trono.) — E as imensidões das escadarias!...
— Queres te assentar no píncaro mais alto? Catedral?...
— Estas cadeias da virtude!...
— Tripinga-te! (Os empurrões dos braços em segredo.)
Principiarás escravo, irás a Chico-Rei!

(Há fita de série no Colombo,
O empurrão na escuridão. Filme nacional.)
— Adeus lírios de Cubatão para os que andam sozinhos!
(Sono tré tustune per i ragazzini.)
— Estes mil quilos da crença!...
— Tripinga-te. Alcançarás o sólio e o sol sonante!
Cospe os fardos! Cospe os fardos!
Vê que facilidade as tais asas?
(Toca a banda do Fieramosca: Pa, pa, pa, pum!

Toca a banda da polícia: ta, ra, ta, tchim!)
És rei! Olha o rei nu!
Que é dos teus fardos, Hermes Pança?!

— Deixei-os lá nas margens das escadarias,
Onde nas violetas corria o rio dos olhos de minha mãe.
— Sossega. És rico, és grandíssimo, és monarca!
Alguém agora t'os virá trazer.

(E ei-lo na curul do vesgo Olho-na-Treva.)

RUA DE SÃO BENTO

Triângulo.

Há navios de vela para os meus naufrágios!
E os cantares da uiara rua de São Bento...

Entre estas duas ondas plúmbeas de casas plúmbeas,
as minhas delícias das asfixias da alma!
Há leilão. Há feira de carnes brancas. Pobres arrozais!
Pobres brisas sem pelúcias lisas a alisar!
A cainçalha... A Bolsa... As jogatinas...

Não tenho navios de vela para mais naufrágios!
Faltam-me as forças! Falta-me o ar!
Mas qual! Não há sequer um porto morto!
"Can you dance the tarantella" — "Ach! Ya".
São as califórnias duma vida milionária
numa cidade arlequinal...

O Clube Comercial... A Padaria Espiritual...
Mas a desilusão dos sombrais amorosos
põe *majoration temporaire,* 100% nt!...

Minha Loucura, acalma-te!
Veste o *water-proof* dos tambéns!
Nem chegarás tão cedo
à fábrica de tecidos dos teus êxtases:
telefone: Além, 3991...
Entre estas duas ondas plúmbeas de casas plúmbeas,
vê, lá nos muito-ao-longes do horizonte,
a sua chaminé de céu azul!

O REBANHO

Oh! minhas alucinações!
Vi os deputados, chapéus altos,
Sob o pálio vesperal, feito de mangas-rosas,
Saírem de mãos dadas do Congresso...
Como um possesso num acesso em meus aplausos
Aos salvadores do meu estado amado!...

Desciam, inteligentes, de mãos dadas,
Entre o trepidar dos táxis vascolejantes,
A rua Marechal Deodoro...
Oh! minhas alucinações!
Como um possesso num acesso em meus aplausos
Aos heróis do meu estado amado!...

E as esperanças de ver tudo salvo!
Duas mil reformas, três projetos...
Emigram os futuros noturnos...
E verde, verde, verde!...
Oh! minhas alucinações!
Mas os deputados chapéus altos,
Mudavam-se pouco a pouco em cabras!
Crescem-lhes os cornos, descem-lhes barbinhas...

E vi os chapéus altos do meu estado amado,
Com os triângulos de madeira no pescoço,
Nos verdes esperança sob as franjas de ouro da tarde,
Se punham a pastar
Rente do Palácio do senhor presidente...
Oh! minhas alucinações!

TIETÊ

Era uma vez um rio...
Porém os Borbas-Gatos dos ultranacionais esperiamente!

Havia nas manhãs cheias de Sol do entusiasmo
as monções da ambição...
E as gigânteas vitórias!
As embarcações singravam rumo do abismal Descaminho...
Arroubos... Lutas... Setas... Cantigas... Povoar!
Ritmos de Brecheret!... E a santificação da morte!
Foram-se os ouros... E o hoje das turmalinas!...

— Nadador! Vamos partir pela via dum Mato-Grosso?
— Io! Mai!... (Mais dez braçadas.
Quina Migone. Hat Stores. Meia de seda.)
Vado a pranzare con la Ruth.

PAISAGEM Nº 1

Minha Londres das neblinas finas...
Pleno verão. Os dez mil milhões de rosas paulistanas.
Há neve de perfumes no ar.
Faz frio, muito frio...
E a ironia das pernas das costureirinhas
Parecidas com bailarinas...
O vento é como uma navalha
Nas mãos dum espanhol. Arlequinal...
Há duas horas queimou Sol.
Daqui a duas horas queima Sol.

Passa um São Bobo, cantando, sob os plátanos,
Um tralalá... A guarda-cívica! Prisão!
Necessidade a prisão
Para que haja civilização?

Meu coração sente-se muito triste...
Enquanto o cinzento das ruas arrepiadas
Dialoga um lamento com o vento...

Meu coração sente-se muito alegre!
Este friozinho arrebitado
Dá uma vontade de sorrir!

E sigo. E vou sentindo,
À inquieta alacridade da invernia,
Como um gosto de lágrimas na boca...

ODE AO BURGUÊS

Eu insulto o burguês! O burguês-níquel,
O burguês-burguês!
A digestão bem feita de São Paulo!
O homem-curva! o homem-nádegas!
O homem que sendo francês, brasileiro, italiano,
É sempre um cauteloso pouco-a-pouco!

Eu insulto as aristocracias cautelosas!
Os barões lampeões! os condes Joões! os duques zurros!
Que vivem dentro de muros sem pulos;
E gemem sangues de alguns milréis fracos
Para dizerem que as filhas da senhora falam o francês
E tocam o *Printemps* com as unhas!

Eu insulto o burguês-funesto!
O indigesto feijão com toucinho, dono das tradições!
Fora os que algarismam os amanhãs!
Olha a vida dos nossos setembros!
Fará Sol? Choverá? Arlequinal!
Mas à chuva dos rosais
O êxtase fará sempre Sol!

Morte à gordura!
Morte às adiposidades cerebrais!

Morte ao burguês-mensal!
Ao burguês-cinema! ao burguês-tílburi!
Padaria Suíça! Morte viva ao Adriano!
"— Ai, filha, que te darei pelos teus anos?
— Um colar... — Conto e quinhentos!!!
Mas nós morremos de fome!"

Come! Come-te a ti mesmo, oh! gelatina pasma!
Oh! *purée* de batatas morais!
Oh! cabelos nas ventas! oh! carecas!
Ódio aos temperamentos regulares
Ódio aos relógios musculares! Morte e infâmia!
Ódio à soma! Ódio aos secos e molhados!
Ódio aos sem desfalecimentos nem arrependimentos,
Sempiternamente as mesmices convencionais!
De mãos nas costas! Marco eu o compasso! Eia!
Dois a dois! Primeira posição! Marcha!
Todos para a Central do meu rancor inebriante

Ódio e insulto! Ódio e raiva! Ódio e mais ódio!
Morte ao burguês de giolhos.
Cheirando religião e que não crê em Deus!
Ódio vermelho! Ódio fecundo! Ódio cíclico!
Ódio fundamento, sem perdão!

Fora! Fu! Fora o bom burguês!...

TRISTURA

Une rose dans les ténèbres
MALLARMÉ

Profundo. Imundo meu coração...
Olha o edifício: Matadouros da Continental.
Os vícios viciaram-me na bajulação sem sacrifícios...
Minha alma corcunda como a avenida São João...

E dizem que os polichinelos são alegres!
Eu nunca em guisos nos meus interiores arlequinais!...

Pauliceia, minha noiva... Há matrimônios assim...
Ninguém os assistirá nos jamais!

As permanências de ser um na febre!

Nunca nos encontramos...
Mas há rendez-vous na meia-noite do Armenonville...

E tivemos uma filha, uma só...
Batismos do sr. cura Bruma;
água-benta das garoas monótonas...
Registrei-a no cartório da Consolação...
Chamei-a Solitude das Plebes...

Pobres cabelos cortados da nossa monja!

DOMINGO

Missas de chegar tarde, em rendas,
e dos olhares acrobáticos...
Tantos telégrafos sem fio!
Santa Cecília regorgita de corpos lavados
e de sacrilégios picturais...
Mas Jesus Cristo nos desertos,
mas o sacerdote no *Confiteor*... Contrastar!
— Futilidade, civilização...

Hoje quem joga?... O Paulistano.
Para o Jardim América das rosas e dos ponta-pés!
Friedenreich fez gol! Corner! Que juiz!
Gostar de Bianco? Adoro. Qual Bartô...
E o meu xará maravilhoso!...
— Futilidade, civilização...

Mornamente em gasolinas... Trinta e cinco contos!
Tens dez milréis? Vamos ao corso...
E filar cigarros a quinzena inteira...
Ir ao corso é lei. Viste Marília?
E Filis? Que vestido: pele só!
Automóveis fechados... Figuras imóveis...
O bocejo do luxo... Enterro.

E também as famílias dominicais por atacado,
entre os convenientes perenemente...
— Futilidade, civilização.

Central. Drama de adultério.
A Bertini arranca os cabelos e morre.
Fugas... Tiros... Tom Mix!
Amanhã fita alemã... de beiços...
As meninas mordem os beiços pensando em fita alemã...
As romas de Petrônio...
E o leito virginal... Tudo azul e branco!
Descansar... Os anjos... Imaculado!
As meninas sonham masculinidades...
Futilidade, civilização.

O DOMADOR

Alturas da Avenida. Bonde 3.
Asfaltos. Vastos, altos repuxos de poeira
Sob o arlequinal do céu ouro-rosa-verde...
As sujidades implexas do urbanismo.
Filets de manuelino. Calvícies de Pensilvânia.

Gritos de goticismo.
Na frente o *tram* da irrigação,
Onde um sol bruxo se dispersa
Num triunfo persa de esmeraldas, topázios e rubis...
Lânguidos boticellis a ler Henry Bordeaux
Nas clausuras sem dragões dos torreões...

Mário, paga os duzentos réis.
São cinco no banco: um branco,
um noite, um ouro,
um cinzento de tísica e Mário...
Solicitudes! Solicitudes!

Mas... olhai, oh meus olhos saudosos dos ontens
Esse espetáculo encantado da Avenida!

Revivei, oh gaúchos Paulistas ancestremente!
E oh cavalos de cólera sanguínea!
Laranja da China, laranja da China, laranja da China!
Abacate, cambucá e tangerina!
Guardate! Aos aplausos do esfusiante clown.
Heroico sucessor da raça heril dos bandeirantes,
Passa galhardo um filho de imigrante,
Louramente domando um automóvel!

ANHANGABAÚ

Parques do Anhangabaú nos fogaréus da aurora...
Oh larguezas dos meus itinerários...
Estátuas de bronze nu correndo eternamente,
num parado desdém pelas velocidades...

O carvalho votivo escondido nos orgulhos
do bicho de mármore parido no *Salon*...
Prurido de estesias perfumando em rosais
o esqueleto trêmulo do morcego...
Nada de poesia, nada de alegrias!...

E o contraste boçal do lavrador
que sem amor afia a foice...

Estes meus parques do Anhangabaú ou de Paris,
onde as tuas águas, onde as mágoas dos teus sapos?
"Meu pai foi rei!
— Foi. — Não foi. — Foi. — Não foi."
Onde as tuas bananeiras?
Onde o teu rio frio encanecido pelos nevoeiros,
contando histórias aos sacis?...

Meu querido palimpsesto sem valor!
Crônica em mau latim
cobrindo uma écloga que não seja de Virgílio!...

A CAÇADA

A bruma neva... Clamor de vitórias e dolos...
Monte São Bernardo sem cães para os alvíssimos!
Cataclismos de heroísmos... O vento gela...
Os cinismos plantando o estandarte;
enviando para todo o universo
novas cartas-de-Vaz-Caminha!...
Os Abéis quase todos muito ruins
a escalar, em lama, a glória...
Cospe os fardos!

Mas sobre a turba adejam os cartazes de *Papel e Tinta*
como grandes mariposas de sonho queimando-se na luz...

E o maxixe do crime puladinho
na eternização dos três dias... Tripudiares gaios!...
Roubar... Vencer... Viver os respeitosamente,
no crepúsculo...

A velhice e a riqueza têm as mesmas cãs.
A engrenagem trepida... A bruma neva...
Uma síncope: a sereia da polícia
que vai prender um bêbedo no Piques...

Não há mais lugares no boa-vista triangular.
Formigueiro onde todos se mordem e devoram...
O vento gela... Fermentação de ódios egoísmos
para a caninha-do-Ó dos progredires...

Viva virgem vaga desamparada...
Malfadada! Em breve não será mais virgem
nem desamparada!
Terá o amparo de todos os desamparos!

Tossem: O Diário! A Plateia...
Lívidos doze-anos por um tostão
Também quero ler o aniversário dos reis...
Honra ao mérito! Os virtusosos hão-de sempre ser louvados
e retratificados...
Mais um crime na Moóca!
Os jornais estampam as aparências
dos grandes que fazem anos, dos criminosos que fazem
danos...

Os quarenta-graus das riquezas! O vento gela...
Abandonos! Ideais pálidos!
Perdidos os poetas, os moços, os loucos!
Nada de asas! nada de poesia! nada de alegria!
A bruma neva... Arlequinal!

Mas viva o Ideal! God save the poetry!

— Abade Liszt da minha filha monja,
na Cadillac mansa e glauca da ilusão,
passa o Oswald de Andrade
mariscando gênios entre a multidão!...

NOTURNO

Luzes do Cambuci pelas noites de crime...
Calor!... E as nuvens baixas muito grossas,
Feitas de corpos de mariposas,
Rumorejando na epiderme das árvores...

Gingam os bondes como um fogo de artifício,
Sapateando nos trilhos,
Cuspindo um orifício na treva cor de cal...

Num perfume de heliotrópios e de poças
Gira uma flor-do-mal... Veio do Turquestã;
E traz olheiras que escurecem almas...
Fundiu esterlinas entre as unhas roxas
Nos oscilantes de Ribeirão Preto...

— Batat'assat'ô furnn!...

Luzes do Cambuci pelas noites de crime!...
Calor... E as nuvens baixas muito grossas,
Feitas de corpos de mariposas,
Rumorejando na epiderme das árvores...

Um mulato cor de ouro,
Com cabeleira feita de alianças polidas...
Violão. "Quando eu morrer..."
Um cheiro pesado de baunilhas

Oscila, tomba e rola no chão...
Ondula no ar a nostalgia das Baías...

E os bondes passam como um fogo de artifício,
Sapateando nos trilhos,
Ferindo um orifício na treva cor de cal...

— Batat'assat'ô furnn!...

Calor!... Os diabos andam no ar
Corpos de nuas carregando...
As lassitudes dos sempres imprevistos!

E as almas acordando às mãos dos enlaçados!
Idílios sob os plátanos!...
E o ciúme universal às fanfarras gloriosas
De saias cor-de-rosa e gravatas cor-de-rosa!...

Balcões na cautela latejante, onde florem Iracemas
Para os encontros dos guerreiros brancos... Brancos?
E que os cães latam nos jardins!

Ninguém, ninguém, ninguém se importa!
Todos embarcam na Alameda dos Beijos da Aventura!
Mas eu... Estas minhas grades em girândolas de jasmins,
Enquanto as travessas do Cambuci nos livres
Da liberdade dos lábios entreabertos!...

Arlequinal! Arlequinal!
As nuvens baixas muito grossas,
Feitas de corpos de mariposas,
Rumorejando na epiderme das árvores...
Mas sobre estas minhas grades em girândolas de jasmins,
O estelário delira em carnagens de luz,
E meu céu é todo um rojão de lágrimas!...

E os bondes riscam como um fogo de artifício,
Sapateando nos trilhos,
Jorrando um orifício na treva cor de cal...

— Batat'assat'ô furnn!...

PAISAGEM Nº 2

Escuridão dum meio-dia de invernia...
Marasmos... Estremeções... Brancos...
O céu é toda uma batalha convencional de *confetti* brancos;
e as onças pardas das montanhas no longe...
Oh! para além vivem as primaveras eternas!
As casas adormecidas
parecem teatrais gestos dum explorador do polo
que o gelo parou no frio...

Lá para as bandas da Ipiranga as oficinas tossem...
Todos os estiolados são muito brancos.
Os invernos de Pauliceia são como enterros de virgem...
Italianinha, toma al tuo paese!

Lembras-te? As barcarolas dos céus azuis nas águas verdes...

Verde — cor dos olhos dos loucos!
As cascatas das violetas para os lagos...
Primaveral — cor dos olhos dos loucos!

Deus recortou a alma de Pauliceia
num cor de cinza sem odor...
Oh! para além vivem as primaveras eternas!...

Mas os homens passam sonambulando...
E rodando num bando nefário,
vestidas de eletricidade e gasolina,
as doenças jocotoam em redor.

Grande função ao ar livre!
Bailado de Cocteau com os barulhadores de Russolo!
Opus 1921

São Paulo é um palco de bailados russos.
Sarabandam a tísica, a ambição, as invejas, os crimes
e também as apoteoses da ilusão...
Mas o Nijinsky sou eu!
E vem a Morte, minha Karsavina!
Quá, quá, quá! Vamos dançar o fox-trot da desesperança,
a rir, a rir dos nossos desiguais!

TU

Morrente chama esgalga,
Mais morta inda no espírito!
Espírito de fidalga,
Que vive dum bocejo entre dois galanteios
E de longe em longe uma chávena da treva bem forte!

Mulher mais longa
Que os pasmos alucinados
Das torres de São Bento!
Mulher feita de asfalto e de lamas de várzea,
Toda insultos nos olhos,
Toda convite nessa boca louca de rubores!

Costureirinha de São Paulo,
Ítalo-franco-luso-brasílico-saxônica,
Gosto dos seus crepusculares,
Crepusculares e por isso mais ardentes,
Bandeirantemente!

Lady Macbeth feita de névoa fina,
Pura neblina da manhã!
Mulher que és minha madrasta e minha mãe!

Trituração ascencional dos meus sentidos!
Risco de aeroplano entre Mogi e Paris!
Pura neblina da manhã!

Gosto dos teus desejos de crime turco
E das tuas ambições retorcidas como roubos!
Amo-te de pesadelos taciturnos,
Materialização da Canaã do meu Poe...
Never more!

Emílio de Menezes insultou a memória do meu Poe...

Oh! Incendiária dos meus aléns sonoros!
Tu és o meu gato preto!
Tu me esmagaste nas paredes do meu sonho!
Este sonho medonho!

E serás sempre, morrente chama esgalga,
Meio fidalga, meio barregã,
As alucinações crucificantes
De todas as auroras do meu jardim!

PAISAGEM Nº 3

Chove?
Sorri uma garoa cor de cinza,
Muito triste, como um tristemente longo...
A casa Kosmos não tem impermeáveis em liquidação...
Mas neste largo do Arouche
Posso abrir meu guarda-chuva paradoxal,
Este lírico plátano de rendas mar...

Ali em frente... — Mário, põe a máscara!
— Tens razão, minha Loucura, tens razão.
O rei de Tule jogou a taça ao mar...

Os homens passam encharcados...
Os reflexos dos vultos curtos
Mancham o *petit-pavé*...
As rolas da Normal
Esvoaçam entre os dedos da garoa...
(E si pusesse um verso de Crisfal
No *De Profundis*?...)
De repente
Um raio de Sol arisco
Risca o chuvisco ao meio.

COLLOQUE SENTIMENTAL

Tenho os pés chagados nos espinhos das calçadas...
Higienópolis!... As Babilônias dos meus desejos baixos...
Casas nobres de estilo... Enriqueceres em tragédias...
Mas a noite é toda um véu de noiva ao luar!

A preamar dos brilhos das mansões...
O jazz-band da cor...
O arco-íris dos perfumes...
O clamor dos cofres abarrotados de vidas...
Ombros nus, ombros nus, lábios pesados de adultério...
E o *rouge* — cogumelo das podridões...
Exércitos de casacas eruditamente bem talhadas...
Sem crimes, sem roubos o carnaval dos títulos...
Si não fosse o talco adeus sacos de farinha!
Impiedosamente...

— Cavalheiro... — Sou conde! — Perdão.
Sabe que existe um Brás, um Bom Retiro?

— Apre! respiro... Pensei que era pedido.
Só conheço Paris!

— Venha comigo então.
Esqueça um pouco os braços da vizinha...

— Percebeu, hein! Dou-lhe gorjeta e cale-se.
O sultão tem dez mil... Mas eu sou conde!

— Vê? Estas paragens trevas de silêncio...
Nada de asas, nada de alegria... A Lua...

A rua toda nua... As casas sem luzes...
E a mirra dos martírios inconscientes...

— Deixe-me por o lenço no nariz.
Tenho todos os perfumes de Paris!

— Mas olhe, embaixo das portas, a escorrer...
— Para os esgotos! Para os esgotos!

—... a escorrer,
Um fio de lágrimas sem nome!...

RELIGIÃO

Deus! creio em Ti! Creio na tua Bíblia!

Não que a explicasse eu mesmo,
Porque a recebi das mãos dos que viveram as iluminações!

Catolicismo! sem pinturas de Calixto!... As humildades...
No poço das minhas erronias
vi que reluzia a Lua dos teus perdoares!...

Rio-me dos Luteros parasitais
e dos orgulhos soezes que não sabem
ser orgulhosos da Verdade;

E os mações, que são pecados vivos,
e que nem sabem ser Pecado!

Oh! minhas culpas e meus tresvarios!
E as nobilitações dos meus arrependimentos
chovendo para a fecundação das Palestinas!
Confessar!...
Noturno em sangue do Jardim das Oliveiras!...

Naves de Santa Efigênia,
os meus joelhos criaram escudos de defesa contra vós!

Cantai como me arrastei por vós!
Dizei como me debrucei sobre vós!

Mas dos longínquos veio o Redentor!
E no poço sem fundo das minhas erronias
vi que reluzia a Lua dos seus perdoares!...

"Santa Maria, mãe de Deus..."
A minha mãe-da-terra é toda os meus entusiasmos;
dar-lhe-ia os meus dinheiros e minhas mãos também!
Santa Maria dos olhos verdes, verdes,
venho depositar aos vossos pés verdes
a coroa de luz da minha loucura!

Alcançai para mim
a Hospedaria dos Jamais Iluminados!

PAISAGEM Nº 4

Os caminhões rodando, as carroças rodando,
Rápidas as ruas se desenrolando,
Rumor surdo e rouco, estrépitos, estalidos...
E o largo coro de ouro das sacas de café!...

Na confluência o grito inglês da São Paulo Railway...
Mas as ventaneiras da desilusão! a baixa do café!...
As quebras, as ameaças, as audácias superfinas!...
Fogem os fazendeiros para o lar!... Cincinato Braga!...
Muito ao longe o Brasil com seus braços cruzados...
Oh! as indiferenças maternais!...

Os caminhões rodando, as carroças rodando,
Rápidas as ruas se desenrolando,
Rumor surdo e rouco, estrépitos, estalidos...
E o largo coro de ouro das sacas de café!...

Lutar!
A vitória de todos os sozinhos!...
As bandeiras e os clarins nos armazéns abarrotados...
Hostilizar!... Mas as ventaneiras dos largos cruzados!...

E a coroação com os próprios dedos!
Mutismos presidenciais, para trás!
Ponhamos os (Vitória!) colares de presas inimigas!
Enguirlandemo-nos de café-cereja!
Taratá! e o pean de escárnio para o mundo!

Oh! este orgulho máximo de ser paulistamente!!!

AS ENFIBRATURAS DO IPIRANGA

Oratório profano

> *O, woe is me*
> *To have seen what I have seen, see what I see!*
> SHAKESPEARE

Distribuição das vozes:

OS ORIENTALISMOS CONVENCIONAIS — (escritores e demais artífices elogiáveis) — Largo, imponente coro afinadíssimo de sopranos, contraltos, barítonos, baixos.

AS SENECTUDES TREMULINAS — (milionários e burgueses) — Coro de sopranistas.

OS SANDAPILÁRIOS INDIFERENTES — (operariado, gente pobre) — Barítonos e baixos.

AS JUVENILIDADES AURIVERDES — (nós) — Tenores, sempre tenores! Que o diga Walter von Stolzing!

MINHA LOUCURA — Soprano ligeiro. Solista. Acompanhamento de orquestra e banda.

Local de execução: A esplanada do Teatro Municipal. Banda e orquestra colocadas no terrapleno que tomba sobre os jardins. São perto de cinco mil instrumentistas dirigidos por maestros... vindos do estrangeiro. Quando a solista canta há silêncio orquestral — salvo nos casos propositadamente mencionados. E, mesmo assim, os instrumentos que então ressoam, fazem-no a contragosto dos maestros. Nos coros dos ORIENTALISMOS CONVENCIONAIS, a banda junta-se à orquestra. É um *tutti* formidando.

Quando cantam as JUVENILIDADES AURIVERDES (há naturalmente falta de ensaios), muitos instrumentos silenciam. Alguns desafinam. Outros partem as cordas. Só aguentam o *rubato* lancinante violinos, flautas, clarins, a bateria e mais borés e maracás.

OS ORIENTALISMOS CONVENCIONAIS estão nas janelas e terraços do Teatro Municipal. As SENECTUDES TREMULINAS disseminaram-se pelas sacadas do Automóvel Clube, da Prefeitura, da Rôtisserie, da Tipografia Weisflog, do Hotel Carlton e mesmo da Livraria Alves, ao longe. Os SANDAPILÁRIOS INDIFERENTES berram do Viaduto do Chá. Mas as JUVENILIDADES AURIVERDES estão embaixo, nos parques do Anhangabaú, com os pés enterrados no solo. MINHA LOUCURA no meio delas.

Na aurora do novo dia

PRELÚDIO

As caixas anunciam a arraiada. Todos os 550.000 cantores concertam apressadamente as gargantas e tomam fôlego com exagero, enquanto os borés, as trompas, o órgão, cada timbre por sua vez, entre largos silêncios reflexivos, enunciam, sem desenvolvimento, nem harmonização o tema: "Utilius est saepe et securius quos non habeat multas consolationes in hac vita."

E começa o oratório profano, que teve por nome

AS ENFIBRATURAS DO IPIRANGA.

AS JUVENILIDADES AURIVERDES
(pianíssimo)

Nós somos as Juvenilidades Auriverdes!
As franjadas flâmulas das bananeiras,
As esmeraldas das araras,
Os rubis dos colibris,
Os lirismos dos sabiás e das jandaias,
Os abacaxis, as mangas, os cajus
Almejam localizar-se triunfantemente,
Na fremente celebração do Universal!...
Nós somos as Juvenilidades Auriverdes!
As forças vivas do torrão natal,
As ignorâncias iluminadas,
Os novos sóis luscofuscolares
Entre os sublimes das dedicações!...
Todos para a fraterna música do Universal!
Nós somos as Juvenilidades Auriverdes!

OS SANDAPILÁRIOS INDIFERENTES

(num estampido preto)

Vá de rumor! Vá de rumor!
Esta gente não nos deixa mais dormir!
Antes "E lucevan le stelle" de Puccini!
Oh! pé de anjo, pé de anjo!
Fora! Fora o que é de despertar!

(a orquestra num crescendo cromático de contrabaixos anuncia...)

OS ORIENTALISMOS CONVENCIONAIS

Somos os Orientalismos Convencionais!
Os alicerces não devem cair mais!
Nada de subidas ou de verticais!
Amamos as chatezas horizontais!
Abatemos perobas de ramos desiguais!
Odiamos as matinadas arlequinais!
Viva a Limpeza Pública e os hábitos morais!
Somos os Orientalismos Convencionais!

Deve haver Von Iherings para todos os tatus!
Deve haver Vitais Brasis para os urutus!
Mesmo peso de feijão em todos os tutus!
Só é nobre o passo dos jaburus!
Há estilos consagrados para Pacaembus!
Que os nossos antepassados foram homens de truz!
Não lhe bastam velas? Para que mais luz!

Temos nossos coros só no tom de dó!
Para os desafinados, doutrina de cipó!
Usamos capas de seda, é só escovar o pó!
Diariamente à mesa temos mocotó!
Per omnia saecula saeculorum moinhos terão mó!

Anualmente de sobrecasaca, não de paletó,
Vamos visitar o esqueleto de nossa grande avó!
Glória aos iguais! Um é todos! Todos são um só!
Somos os Orientalismos Convencionais!

AS JUVENILIDADES AURIVERDES
(perturbadas com o fabordão, recomeçam mais alto, incertas)

Magia das alvoradas entre magnólias e rosas...
Apelos do estelário visível aos alguéns...
— Pão de ícaros sobre a toalha estática do azul!
Os tuins esperanças das nossas ilusões!
Suaviloquências entre as deliquescências
Dos sáfaros, aos raios do maior solar!...
Sobracemos as muralhas! Investe com os cardos!
Rasga-te nos acúleos! Tomba sobre o chão!

Hão-de vir valquírias para os olhos-fechados!
Anda! Não pares nunca! Aliena o duvidar
E as vacilações perpetuamente!

AS SENECTUDES TREMULINAS
(tempo de minuete)

Quem são estes homens?
Maiores menores
Como é bom ser rico!
Maiores menores.
Das nossas poltronas
Maiores menores
Olhamos as estátuas
Maiores menores
Do signor Ximenes
— O grande escultor

Só admiramos os célebres
E os recomendados também!
Quem tem galeria
Terá um Bouguereau!
Assinar o Lírico?
Elegância de preceito!
Mas que paulificância
Maiores menores
O Tristão e Isolda
Maiores menores

Preferimos os coros
Dos Orientalismos
Convencionais!
Depois os sanchismos
(Ai! gentes, que bom!)
Da alta madrugada
No largo do Paissandu!

Alargar as ruas...
E as instituições?
Não pode! Não pode!
Maiores menores
Mas não há quem diga
Maiores menores
Quem são esses homens
Que cantam do chão?

(a orquestra súbito emudece, depois duma grande gargalhada de Timbales)

MINHA LOUCURA

(recitativo e balada)

Dramas da luz do luar no segredo das frestas
Perquirindo as escuridões...
A traição das mordaças!
E a paixão oriental dissolvida no mel!...

Estas marés da espuma branca
E a onipotência intransponível dos rochedos!
Intransponivelmente! Oh!...
A minha voz tem dedos muito claros
Que vão roçar nos lábios do Senhor;
Mas as minhas tranças muito negras
Emaranharam-se nas raízes do jacarandá...

Os cérebros das cascatas marulhantes
E o benefício das manhãs serenas do Brasil!
(grandes glissandos de harpa)

Estas nuvens da tempestade branca
E os telhados que não deixam à chuva batizar!
Propositadamente! Oh!...

Os meus olhos têm beijos muito verdes
Que vão cair às plantas do Senhor;
Mas as minhas mãos muito frágeis
Apoiaram-se nas faldas do Cubatão.
Os cérebros das cascatas marulhantes
E o benefício das manhãs solenes do Brasil
(notas longas de trompas)

Estas espigas da colheita branca
E os escalrachos roubando a uberdade!
Enredadamente! Oh!...
Os meus joelhos têm quedas muito crentes
Que vão bater no peito do Senhor;
Mas os meus suspiros muito louros
Entreteceram-se com a rama dos cafezais...

Os cérebros das cascatas marulhantes
E o benefício das manhãs gloriosas do Brasil!
(harpas, trompas, órgão)

AS SENECTUDES TREMULINAS
(iniciando uma gaivota)

Quem é essa mulher!
É louca, mas louca
Pois anda no chão!

AS JUVENILIDADES AURIVERDES
(num crescendo fantástico)

Ódios, invejas, infelicidades!...
Crenças sem Deus! Patriotismos diplomáticos!
Cegar!
Desvalorização das lágrimas lustrais!
Nós não queremos mascaradas! E ainda menos
Cordões "Flor-do-abacate" das superfluidades!
Os tumultos da luz!... As lições dos maiores!...
E a integralização da vida no Universal!
As estradas correndo todas para o mesmo final!...
E a pátria simples, una, intangivelmente
Partindo para a celebração do Universal!
Ventem nossos desvarios fervorosos!
Fulgurem nossos pensamentos dadivosos!
Clangorem nossas palavras proféticas
Na grande profecia virginal!
Somos as Juvenilidades Auriverdes!

A passiflora! o espanto! a loucura! o desejo!
Cravos! mais cravos para nossa cruz!

OS ORIENTALISMOS CONVENCIONAIS
(Tutti. O crescendo é resolvido numa solene marcha fúnebre)

Para que escravos? Para que cruzes?
Submetei-vos à metrificação!
A verdadeira luz está nas corporações!
Aos maiores: serrote; aos menores: o salto...
E a glorificação das nossas ovações!

AS JUVENILIDADES AURIVERDES
(num clamor)

Somos as Juvenilidades Auriverdes!
A passiflora! o espanto! a loucura! o desejo!
Cravos! mais cravos para nossa cruz!

OS ORIENTALISMOS CONVENCIONAIS
(a tempo)

Para que cravos? Para que cruzes?
Submetei-vos à poda!
Para que as artes vivam e revivam
Use-se o regime do quartel!
É a riqueza!
O nosso anel de matrimônio!
E as fecundidades regulares, refletidas...
E os perenementes da ligação mensal...

AS SENECTUDES TREMULINAS
(aos miados de flautim impotente)

Bravíssimo! Bem dito! Sai azar!
Os perenementes da ligação anual!

AS JUVENILIDADES AURIVERDES
(berrando)

Somos as Juvenilidades Auriverdes!
A passiflora! o espanto! a loucura! o desejo!
Cravos! mais cravos para nossa cruz!

OS ORIENTALISMOS CONVENCIONAIS
(da capo)

Para que cravos? Para que cruzes?
Universalizai-vos no senso comum!
Senti sentimentos de vossos pais e avós!
Para as almas sempres torresmos cerebrais!
E a sesta na rede pelos meios-dias!
Acordar às seis; deitar às vinte e meia;
E o banho semanal com sabão de cinza,
Limpando da terra, calmando das erupções...
E a dignificação bocejal do mundo sem estações!...
Primavera, inverno, verão, outono...
Para que estações?

AS JUVENILIDADES AURIVERDES
(já vociferantes)

Cães! Piores que cães!
Somos as Juvenilidades Auriverdes!
Vós, burros! malditos! cães! piores que cães!

OS ORIENTALISMOS CONVENCIONAIS
(sempre marcha fúnebre, cada vez mais forte porém)

Para que burros? Para que cães?
Produtividades regulares. Vivam as maleitas!
Intermitências de polegadas certas!

Nas arquiteturas renascença gálica;
Na música Verdi; na escultura Fídias;
Corot na pintura; nos versos Leconte;
Na prosa Macedo, D'Annunzio e Bourget!
E na vida enfim, eternamente eterna,
Concertos de meia à luz do lampião,
Valsas de Godard no piano alemão,
Marido, mulher, as filhas, o noivo...

AS JUVENILIDADES AURIVERDES
(numa grita descompassada)

Malditos! Boçais! Cães! Piores que cães!
Somos as Juvenilidades Auriverdes!
A passiflora!... Vós, malditos! boçais!

OS ORIENTALISMOS CONVENCIONAIS
(fff)

... O corso aos domingos, o chá no Trianon...
E as......... cidades, as......... cidades,
as......... cidades, as......... cidades,
e mil......... cidades...

AS JUVENILIDADES AURIVERDES
(ffff)

Seus borras! Seus bêbedos! Infames! Malditos!
A passiflora! o espanto! a loucura! o d.....

OS ORIENTALISMOS CONVENCIONAIS
(fffff)

... e as perpetuidades
Das celebridades das nossas vaidades;
Das antiguidades às atualidades,
Ao fim das idades sem desigualdades
Quem há-de...

AS JUVENILIDADES AURIVERDES
(loucos, sublimes, tombando exaustos)

Seus............................!!!
(a maior palavra feia que o leitor conhecer)
Nós somos as Juvenilidades Auriverdes!
A passiflora! o espanto!... a loucura! o desejo!...
Cravos!... Mais cravos... para... a nossa...

Silêncio. Os ORIENTALISMOS CONVENCIONAIS, bem como as SENECTUDES TREMULINAS e os SANDAPILÁRIOS INDIFERENTES fugiram e se esconderam, tapando os ouvidos à grande, à máxima VERDADE. A orquestra evaporou-se, espavorida. Os *maestri* sucumbiram. Caiu a noite, aliás; e na solidão da noite das mil estrelas as JUVENILIDADES AURIVERDES, tombadas no solo, chorando, chorando o arrependimento do tresvario final.

MINHA LOUCURA

(suavemente entoa cantiga de adormentar)

Chorai! Chorai! Depois dormi!
Venham os descansos veludosos
Vestir os vossos membros... Descansai!
Ponde os lábios na terra! Ponde os olhos na terra!
Vossos beijos finais, vossas lágrimas primeiras
Para a branca fecundação!
Espalhai vossas almas sobre o verde!
Guardai nos mantos de sombra dos manacás
Os vossos vagalumes interiores!
Inda serão um Sol nos ouros do amanhã!
Chorai! Depois dormi!

A mansa noite com seus dedos estelares
Fechará nossas pálpebras...
As vésperas do azul...
As melhores vozes para vosso adormentar!
Mas o Cruzeiro do Sul e a saudade dos martírios...
Ondular do vai e vem! Embalar do vai e vem!
Para a restauração o vinho dos noturnos!...
Mas em vinte anos se abrirão as searas!
Virão os setembros das floradas virginais!
Virão os dezembros do Sol pojando os grânulos!

Virão os fevereiros do café-cereja!
Virão os marços das maturações!

Virão os abris dos preparativos festivais!
E nos vinte anos se abrirão as searas!
E virão os maios! E virão os maios!
Rezas de Maria... Bimbalhadas... Os votivos...
As preces subidas... As graças vertidas...
Tereis a cultura da recordação!
Que o Cruzeiro do Sul e a saudade dos martírios
Plantem-se na tumba da noite em que sonhais...
Importa?!... Digo-vos eu nos mansos
Oh! Juvenilidades Auriverdes, meus irmãos:
Chorai! Chorai! Depois dormi!
Venham os descansos veludosos
Vestir os vossos membros!... Descansai!

Diuturnamente cantareis e tombareis.
As rosas... As borboletas... Os orvalhos...
O todo-dia dos imolados sem razão...
Fechai vossos peitos!
Que a noite venha depor seus cabelos aléns
Nas feridas de ardor dos cutilados!
E enfim no luto em luz, (Chorai!)
Das praias sem borrascas, (Chorai!)

Das florestas sem traições de guaranis
(Depois dormi!)
Que vos sepulte a Paz Invulnerável!
Venham os descansos veludosos
Vestir os vossos membros... Descansai!
(quase a sorrir, dormindo)
Eu... os desertos... os Caíns... a maldição...

(As JUVENILIDADES AURIVERDES e MINHA LOUCURA adormecem eternamente surdas, enquanto das janelas de palácios, teatros, tipografias, hotéis — escancaradas, mas cegas — cresce uma enorme vaia de assovios, zurros, patadas.)

FIM
LAUS DEO!

grupo novo século

Compartilhando propósitos e conectando pessoas
Visite nosso site e fique por dentro dos nossos lançamentos:
www.gruponovoseculo.com.br

<ns

- facebook/novoseculoeditora
- @novoseculoeditora
- @NovoSeculo
- novo século editora

gruponovoseculo.com.br

Fonte: Chronicle Display 12/18
4ª reimpressão – OUT 2022